HYNT A HELYNT
HANES CYMRU

HYNT A HELYNT
HANES CYMRU

SIONED GLYN

y|Lolfa

Diolch i'r teulu a ffrindiau
am eu cefnogaeth

Argraffiad cyntaf: 2011

Dymuna'r cyhoeddwyr gydnabod cymorth ariannol
Cyngor Llyfrau Cymru

Cynllun y clawr: Sioned Glyn

Rhif Llyfr Rhyngwladol: 978 1 84771 300 1

Cyhoeddwyd ac argraffwyd yng Nghymru
gan Y Lolfa Cyf., Talybont, Ceredigion SY24 5HE
gwefan www.ylolfa.com
e-bost ylolfa@ylolfa.com
ffôn 01970 832 304
ffacs 832 782

CYNNWYS

CYFLWYNIAD VERCINGETORIX

82 - 46 C.C.

PETAI VERCINGETORIX WEDI ENNILL BRWYDR ALESIA YN ERBYN Y RHUFEINIAID, AC WEDI LLWYDDO I AMDDIFFYN GWEDDILL EWROP, BYDDAI HANES CYMRU WEDI BOD YN WAHANOL... OND NID DYNA DDIGWYDDODD!!

CAFODD VERCINGETORIX EI DDIENYDDIO AC FELLY ROEDD Y FFORDD YN GLIR I'R RHUFEINIAID YMOSOD AR BRYDAIN. YM MIS AWST 55 C.C. GLANIODD BYDDINOEDD RHUFAIN YN SWYDD CAINT (YN LLOEGR HEDDIW) I WYNEBU'R CELTIAID.

MAP O'R CYFNOD

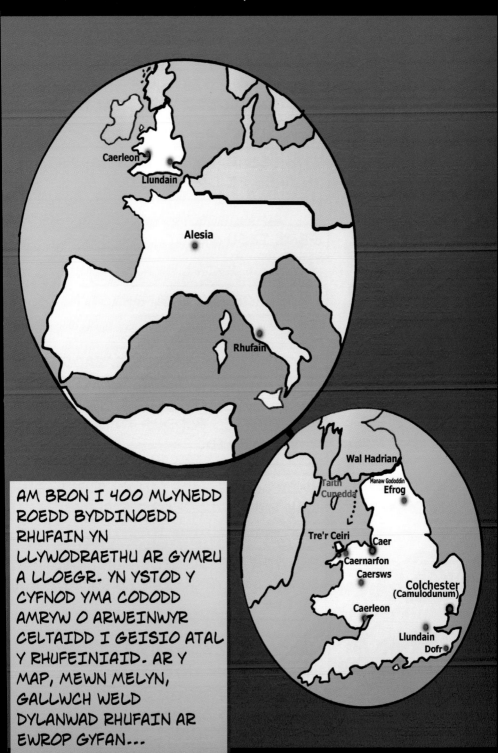

AM BRON I 400 MLYNEDD ROEDD BYDDINOEDD RHUFAIN YN LLYWODRAETHU AR GYMRU A LLOEGR. YN YSTOD Y CYFNOD YMA CODODD AMRYW O ARWEINWYR CELTAIDD I GEISIO ATAL Y RHUFEINIAID. AR Y MAP, MEWN MELYN, GALLWCH WELD DYLANWAD RHUFAIN AR EWROP GYFAN...

LLINELL AMSER

52 C.C. BRWYDR ALESIA. ARWEINYDD Y CELTIAID OEDD VERCINGETORIX.

44 C.C. IŴL CESAR, YMERAWDWR RHUFAIN, YN CAEL EI LOFRUDDIO.

1 O.C. GENI IESU GRIST.

33 O.C. CROESHOELIO IESU GRIST.

48 O.C. TEYRNASIAD Y BRENIN CARADOG.

61 O.C. GWRTHRYFEL BUDDUG YN ERBYN Y RHUFEINIAID.

Tua 120 O.C. YMERAWDWR HADRIAN YN ADEILADU WAL RHWNG LLOEGR A'R ALBAN.

378 O.C. BRWYDR ADRIANOPLE, DECHRAU DIWEDD TEYRNASIAD Y RHUFEINIAID YN EWROP.

383 O.C. MACSEN YN CYCHWYN AR EI WAITH FEL RHEOLWR YNYS PRYDAIN.

Tua 386 O.C. TEYRNASIAD CUNEDDA.

PENNOD 1
CARADOG

BRENIN Y BRYCHON   48 o.c.

CYMERIADAU HANESYDDOL...

DYMA CARADOG, MAB CYNFELIN. ROEDD CYNFELIN YN ARWEINYDD LLWYTH CELTAIDD Y TRINOVANTES GER LLUNDAIN. AR ÔL MARWOLAETH EI DAD AETH CARADOG YMLAEN Â'R FRWYDR YN ERBYN Y RHUFEINIAID. YN 48 O.C. DAETH CARADOG YN ARWEINYDD. SEFYDLODD BENCADLYS YNG NGHLWYD A GWYNEDD AC ARWEINIODD Y CELTIAID YNG NGWENT A MORGANNWG.

CARTIMANDUA YDW I, BRENHINES Y BRIGANTIAID, Y CELTIAID YN Y GOGLEDD.

OSTORIUS YDW I. FY NGWAITH I YW ARWAIN LLENG O RUFEINIAID YN ERBYN Y CELTIAID, YN ENW'R YMERAWDWR CLAUDIUS.

CYMERIADAU DYCHMYGOL...

FY ENW I YW ELLIW. DW I WRTH FY MODD YN MYND I DRE'R CEIRI AR GOPA'R EIFL BOB HAF I FUGEILIO'R GEIFR!

FY ENW I YW TWM, FFRIND GORAU RHION. DW I'N BYW YN LLANAELHAEARN WRTH DROED YR EIFL.

RHION YDW I A DW I'N FRAWD I ELLIW. FY MREUDDWYD I YW YMUNO Â BYDDIN CARADOG A CHAEL GWARED O'R RHUFEINIAID O'N GWLAD!

TRE'R CEIRI, GWYNEDD 48 o.c.

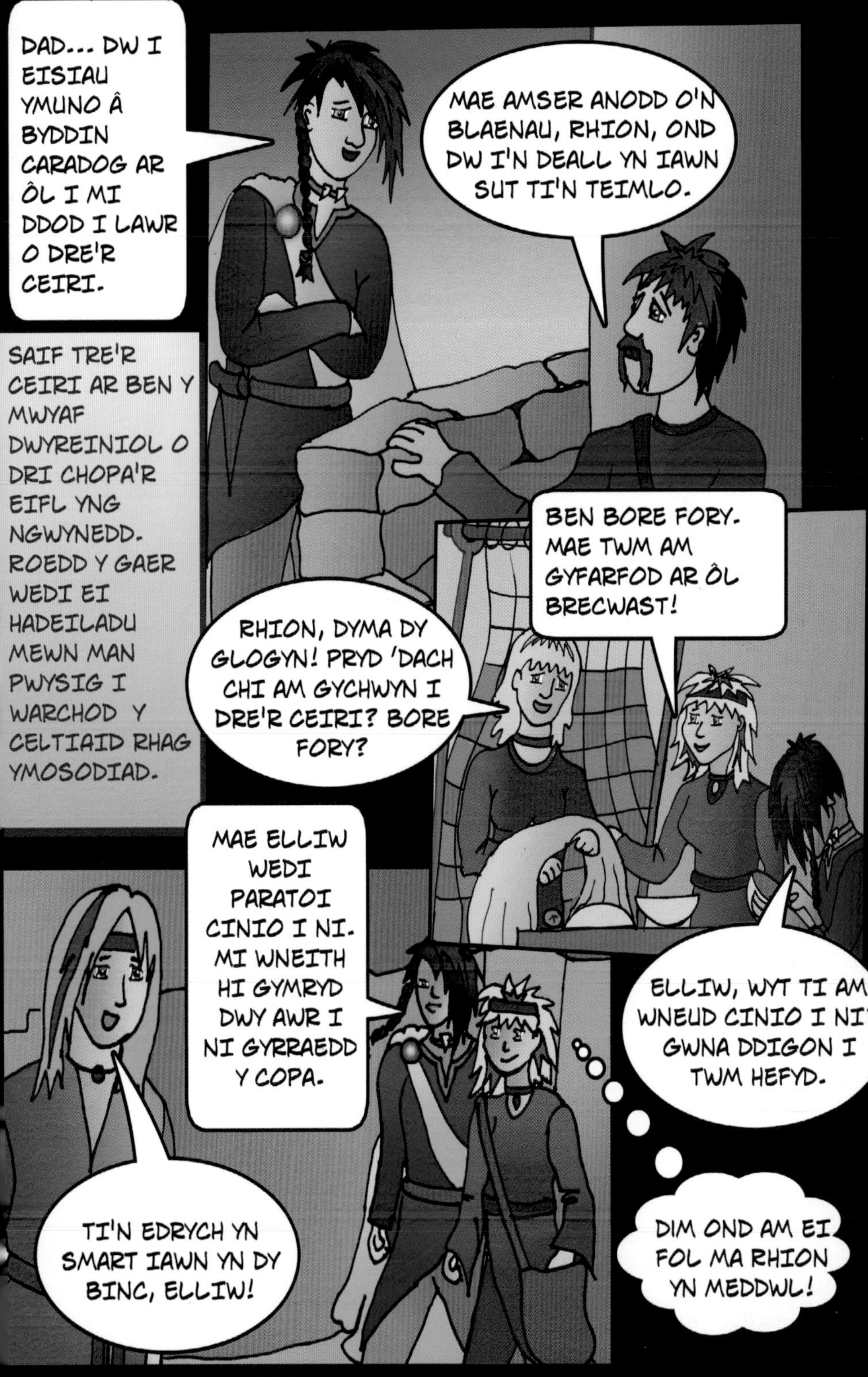

LLE MA CAMULO... RWBATH?

COLCHESTER, DW I'N MEDDWL!

YN DDIWEDDAR IAWN CAFODD YR YMERAWDWR CLAUDIUS EI GROESAWU I DDINAS CAMULODUNUM AR GEFN ELIFFANT!

BE GOBLYN YW ELIFFANT?

PAID Â GOFYN I FI!

AR DDIWEDD Y CYNHAEAF MAE RHION, TWM AC ELLIW YN SÔN AM FYND I RYFELA YN YMGYRCH CARADOG I DRECHU'R RHUFEINIAID!

MAE'N SWNIO MOR GYFFROUS! DW I AM YMUNO Â BYDDIN CARADOG YN REIT FUAN AR ÔL I NI ORFFEN FAN HYN YN NHRE'R CEIRI. TI AM DDOD HEFYD?

WRTH GWRS 'MOD I! PAID MEIDDIO MYND HEBDDA I!

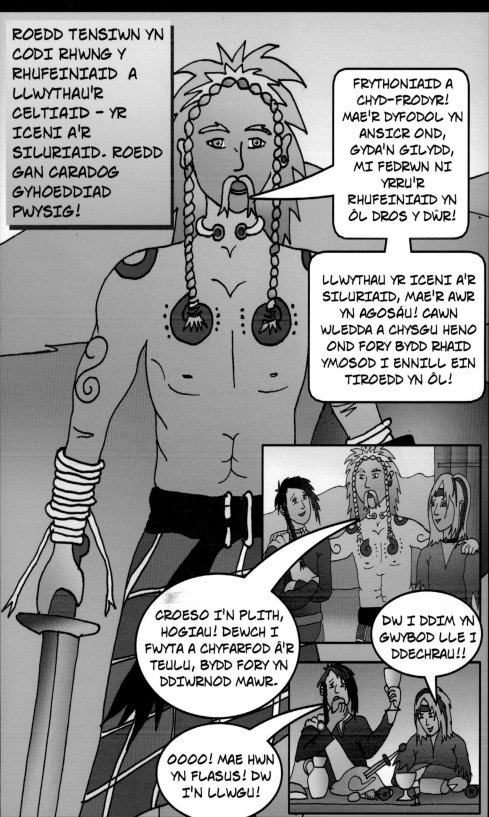

PENNOD 2
BUDDUG

BRENHINES YR ICENI   61o.c.

FY ENW I YW BUDDUG, GWRAIG PRASUTAGUS A BRENHINES YR ICENI, LLWYTH O GELTIAID SY'N BYW YN NE-DDWYRAIN YNYS PRYDAIN O GWMPAS Y LLE A ELWIR ERBYN HEDDIW YN EAST ANGLIA, LLOEGR.

FI YW SIORA, MERCH IEUENGAF BUDDUG A PRASUTAGUS.

FI YW ISOLDA, MERCH HYNAF BUDDUG A PRASUTAGUS. RWY'N MWYNHAU MARCHOGAETH YN FY AMSER RHYDD!

# CYMERIADAU DYCHMYGOL....

MALAN YDW I, FFRIND PENNAF BUDDUG. CAWSOM EIN MAGU HEFO'N GILYDD.

YNYR YDW I A DW I'N GWEITHIO FEL NEGESYDD I BUDDUG A PRASUTAGUS.

ROEDD 'BRITANNIA', Y RHAN O BRYDAIN A OEDD DAN REOLAETH RHUFAIN, YN CAEL EI RHEOLI GAN CATUS DECIANUS. ROEDD GAN PRASUTAGUS, BRENIN YR ICENI, DREFNIANT GYDA'R YMERAWDWR CLAUDIUS A'R RHUFEINIAID, OND YN ANFFODUS NEWIDIODD PETHAU...

PRASUTAGUS - BRENIN YR ICENI

TUA 61 O.C. GWERSYLL YR ICENI, DE-DDWYRAIN LLOEGR.

NEGES ODDI WRTH YR YMERAWDWR CLAUDIUS...

DIOLCH AM DY NEGES, YNYR, OND RHODDODD YR YMERAWDWR YR ARIAN I MI. DIM BENTHYCIAD OEDD Y TREFNIANT, OND RHODD!

MAE O'N DISGWYL I TI DALU DY DDYLEDION YN ÔL IDDO MOR FUAN Â PHOSIB!

RHAG EI GYWILYDD! DOES GANDDO DDIM HAWL I NEWID Y TELERAU! FE WNA I'N SIÔR BOD DYFODOL LLWYTH YR ICENI YN DDIOGEL. MAE CLAUDIUS YN CHWARAE TRICIAU BUDUR.

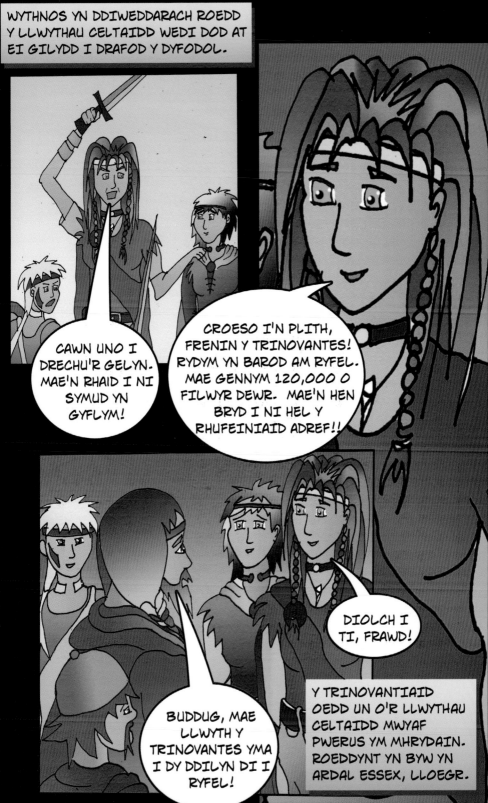

8

CAMULODUNUM (COLCHESTER)

ROEDD PAWB YN BRYSUR IAWN YN CREU HAFOC YNO TRA OEDD Y RHAN FWYAF O FYDDIN Y RHUFEINIAID YN CEISIO GORESGYN Y CELTIAID YN SIR FÔN!

DYMA LE DA I DROI'R AFON YN GOCH!

MAE GWEDDILL Y CRIW YN TYNNU'R CERFLUN I LAWR. AWN NI'N ÔL ATYN NHW I WELD! DEWCH!

YNGHANOL Y DDINAS ROEDD Y GWEDDILL WRTHI'N DDYFAL YN TYNNU CERFLUN Y RHUFEINIAID I LAWR!

HWRÊ!!

41

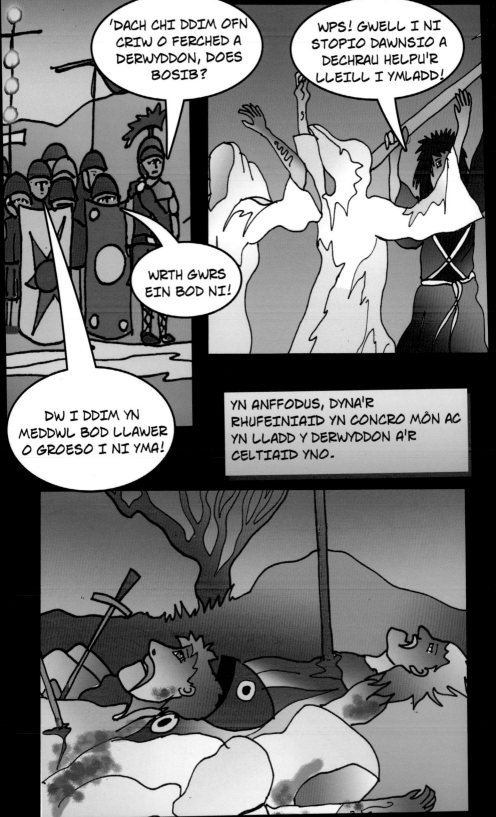

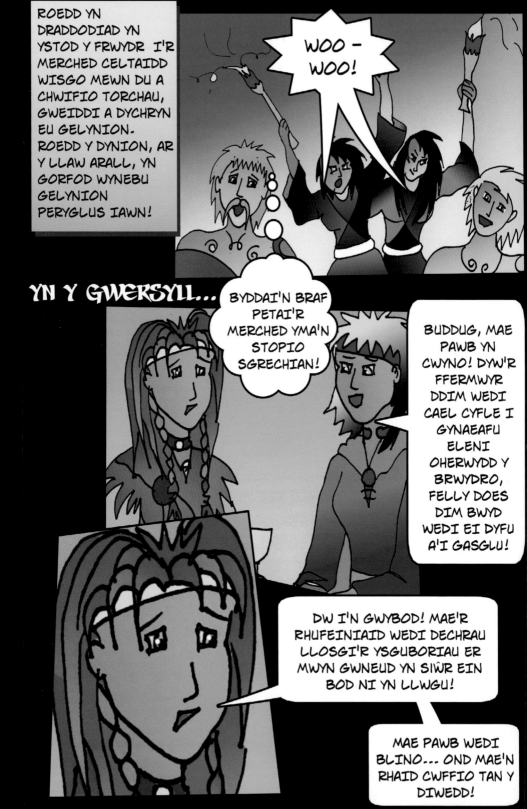

47

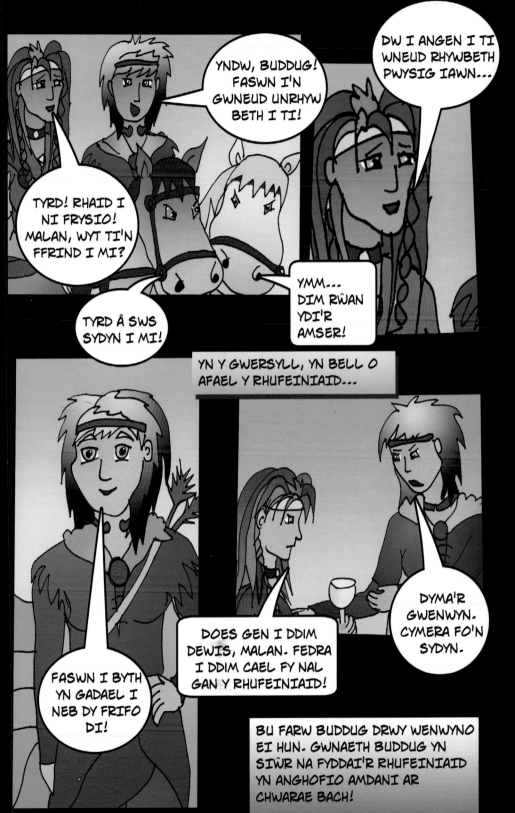

AR ÔL MARWOLAETH BUDDUG ROEDD Y FFORDD YN GLIR I'R RHUFEINIAID GANOLBWYNTIO AR Y RHAN O DIR RYDYN NI YN GALW'N GYMRU HEDDIW. NI LWYDDODD Y RHUFEINIAID I GONCRO CYMRU TAN Y FLWYDDYN 77 O.C., PAN DDAETH Y CADFRIDOG AGRICOLA I LYWODRAETHU PRYDAIN. LLWYDDODD Y RHUFEINIAID I WTHIO CELTIAID YR ALBAN FWYFWY I'R GOGLEDD AC ADEILADWYD WAL HADRIAN I GADW TREFN ARNYN NHW. BREUDDWYD AGRICOLA OEDD CONCRO IWERDDON OND NI DDIGWYDDODD HYN. IWERDDON OEDD YR UNIG WLAD YNG NGORLLEWIN EWROP A LWYDDODD I GADW'R RHUFEINIAID ALLAN!

PENNOD 3
MACSEN

CWA 335 - 388 O.C.

ISCA – CAERLEON 367 o.c.

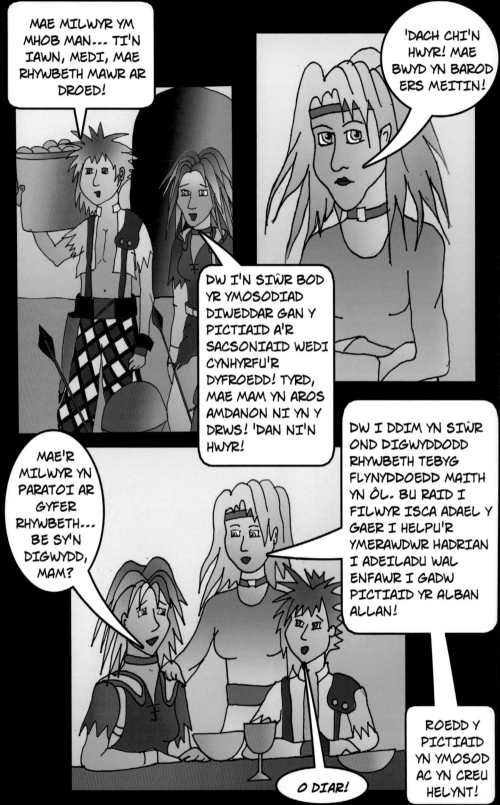

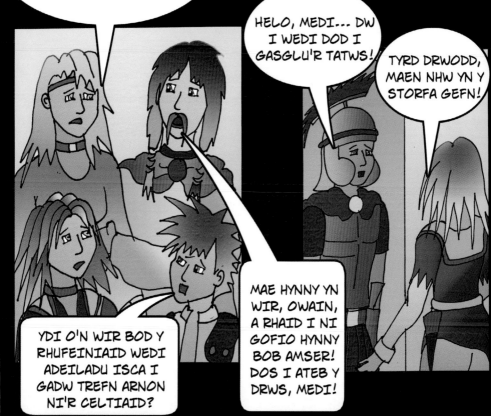

EFALLAI FOD YR YMERODRAETH RUFEINIG YN RHY FAWR AC MAE'N ANODD I CHI WARCHOD Y FFINIAU I GYD!

GWIR, AC RYDYM YN CAEL EIN CYDNABOD FEL DINASYDDION RHUFEINIG ERBYN HYN!

WELL I MI FYND. MAE SÔN BOD THEODOSIUS A'I FYDDIN AR Y FFORDD I BRYDAIN AC AR FIN GLANIO YMA UNRHYW DDIWRNOD!

DIGON GWIR, OND FEDRWCH CHI'R SILURIAID DDIM CWYNO! MAE BYWYD O DAN Y RHUFEINIAID WEDI BOD YN BRAF!

TEYRNASODD Y RHUFEINIAID YM MHRYDAIN AM 300 MLYNEDD, AC ROEDD GANDDYN NHW DREFN AR Y WLAD. GWARCHODWYD Y CELTIAID RHAG EU GELYNION. LLWYDDODD Y CELTIAID I DDATBLYGU FEL POBL – YN FFERMIO'R TIR YN LLWYDDIANNUS, A HEFYD WEDI DYSGU SUT I BYSGOTA! (ROEDD PYSGOD YN DDRUD YN RHUFAIN!) ROEDD Y CELTIAID YN MYND YN DEBYCACH I'R RHUFEINIAID BOB DYDD. ROEDD Y CELTIAID ERBYN HYN YN GALLU SIARAD LLADIN AC YN CAEL EU DIOGELU GAN GYFREITHIAU RHUFAIN!

CYRHAEDDODD Y MILWYR YNYS PRYDAIN YN LLWYDDIANNUS YN Y FLWYDDYN 368 O.C. ROEDD MACSEN YN GADFRIDOG I THEODOSIUS. GLANIODD BYDDIN Y RHUFEINIAID YN NOFR. ROEDDYNT WEDI CAEL EU HANFON I GADW TREFN AR Y WLAD AC I DAWELU PICTIAID YR ALBAN A'R GWYDDELOD.

NOFR 368 O.C.

MAE'R MILWYR YN BAROD I ADAEL Y CYCHOD.

DIOLCH, MACSEN! PARATOWCH BAWB I ADAEL Y CYCHOD YN DREFNUS!

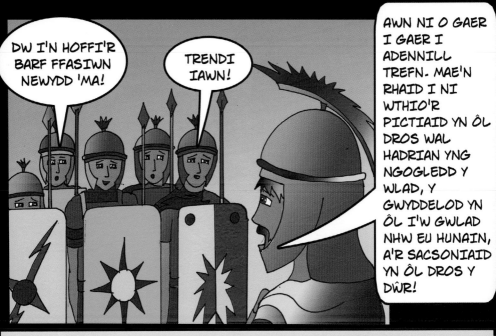

AC FELLY Y BU... O LUNDAIN YR HOLL FFORDD I'R GOGLEDD PELL, OND ROEDD TIPYN O RWGNACH YMHLITH Y MILWYR...

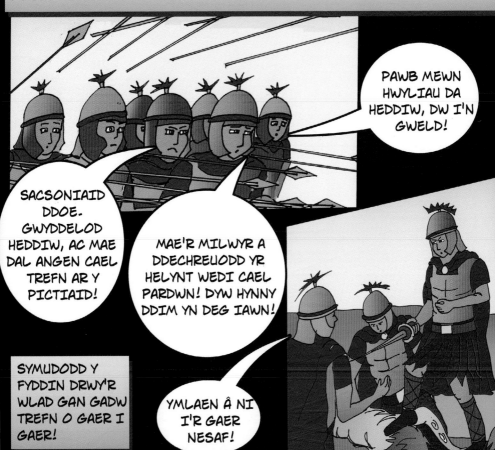

ERBYN DIWEDD Y FLWYDDYN CAFWYD TREFN YN ÔL! ROEDD YN RHAID I MACSEN DDYCHWELYD I RUFAIN I GYHOEDDI'R FUDDUGOLIAETH!

370 O.C.

FY ENW YW MACSEN! RWYF WEDI TEITHIO CYFANDIR EWROP YN BRWYDRO YN ENW'R YMERODRAETH RUFEINIG! RWAN DW I YN ÔL I GADW TREFN AC I SICRHAU HEDDWCH YMA!

YN Y BORE BYDDAF YN DECHRAU AR YR YMGYRCH FAWR! TEITHIWN I LUNDAIN AC YNA YMLAEN TRWY GYMRU I DAWELU'R GWYDDELOD... AC YNA YMLAEN I'R ALBAN I DAWELU'R PICTIAID UNWAITH ETO!

UNRHYW BETH ARALL, GAN EIN BOD NI WRTHI?!

ROEDD HYN YN GYFLE GWYCH I MEDI AC OWAIN YMUNO YN YR ANTUR.

TYRD, AWN NI I OFYN OS GAWN NI SIARAD Â MACSEN!

YMLAEN Â'R FRWYDR!

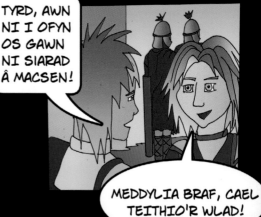

MEDDYLIA BRAF, CAEL TEITHIO'R WLAD!

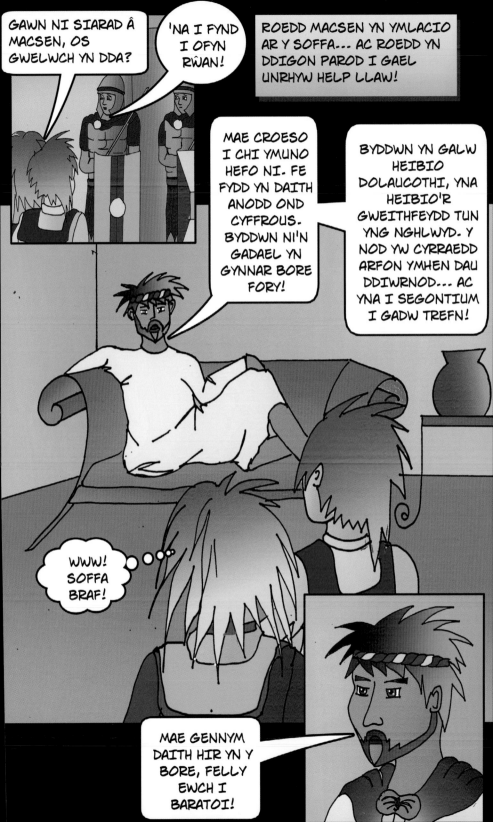

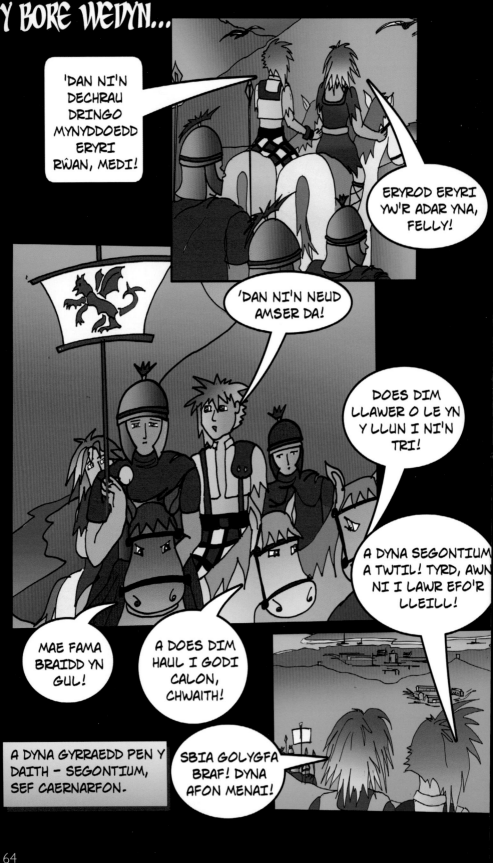

CAERNARFON
CARTREF ELEN LWYDDOG

HOFFWN BRIODI EICH MERCH, ELEN.

DW I'N EI CHARU HI'N FAWR. 'NA I EDRYCH AR EI HÔL HI YN OFALUS IAWN. I BROFI HYN FE GAIFF ELEN DDEWIS TAIR CAER FEL ANRHEG I'CH TEULU.

CROESO I'N PLITH, MACSEN WLEDIG! MAE DY OFAL DROSOM YN FAWR. BYDDAI'N FRAINT DY GAEL YN FAB YNG NGHYFRAITH I MI.

FEL PRAWF O'I GARIAD RHODDODD MACSEN GAER ARFON, CAERLEON A CHAERFYRDDIN I DEULU ELEN. GADAWODD Y DDAU AM Y CYFANDIR YN FUAN AR ÔL EU PRIODAS!

O'R DIWEDD, CAWN DEITHIO'R BYD GYDA'N GILYDD!

DW I MOR HAPUS, MACSEN!

PRIODODD MACSEN AC ELEN CYN GADAEL AM EWROP.

AR ÔL Y FLWYDDYN 383 O.C. DOEDD DIM MILWYR RHUFEINIG AR ÔL YNG NGHYMRU. ROEDD YR UGEINFED LLENG WEDI GADAEL CAER, A'R AIL LENG WEDI GADAEL CAERLEON. LLWYDDODD MACSEN I WNEUD CYMRU YN WLAD ANNIBYNNOL! TEITHIODD MACSEN O FFRAINC I SBAEN GYDA'R SEGUNTIONSES O GAER SAINT YN ARFON. BU FARW MACSEN MEWN BRWYDR YN EWROP, GYDA'I FILWYR FFYDDLON O GAERNARFON YN EI AMDDIFFYN HYD Y DIWEDD.

PENNOD 4
CUNEDDA

CAFODD YR ARTISTIAID TEITHIOL GROESO MAWR A GWLEDD I FWYTA!

DECHREUA FWYTA, MAE'N FLASUS IAWN!

DW I'N LLWGU!

MAEN NHW WEDI BOD YN TEITHIO ERS DYDDIAU! DW I WEDI GOFYN I'R GEGIN BARATOI BWYD IDDYN NHW!

CROESO I'N PLITH! DYWEDODD CEREDIG BOD GENNYCH NEGES I MI?

MAE GENNYM LYTHYR I CHI ODDI WRTH MACSEN WLEDIG CYN IDDO ADAEL AM DIR MAWR EWROP.

WEL, WIR! MAE'N EDRYCH YN DEBYG Y BYDDWN NI AR DAITH YN FUAN IAWN!

IAWN... MAE HWNNA WEDI SORTIO!

GOSOD Y PEBYLL A DW I'N BAROD AM GLAMP O SWPER!

Y BORE WEDYN ROEDD RHAID I CUNEDDA ANNERCH EI FILWYR A'U HYSBRYDOLI I GARIO YMLAEN!

AWN YMLAEN DRWY'R YNYS I HEL Y GWYDDELOD ADREF!

TYRD YMA, 'TA!

PAID POENI! DW I YMA!

OI! PAID Â BOD MOR FRWNT!

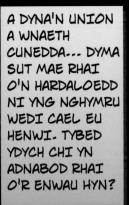

A DYNA'N UNION A WNAETH CUNEDDA... DYMA SUT MAE RHAI O'N HARDALOEDD NI YNG NGHYMRU WEDI CAEL EU HENWI. TYBED YDYCH CHI YN ADNABOD RHAI O'R ENWAU HYN?

GALWN YR ARDALOEDD YN... RHUFONIOG, CEREDIGION, EDEIRNION, MEIRIONNYDD. MAE'R RHEINA'N SWNIO'N DDA!... O HYN YMLAEN GALWN Y TIROEDD HYN GYDA'I GILYDD YN... GYMRU!

ROEDD CUNEDDA WLEDIG NID YN UNIG YN FILWR PENIGAMP, A WNAETH ARWAIN EI FYDDIN DROS Y MÔR O FANAW GODODDIN YN Y GOGLEDD, OND HEFYD GELLIR EI ALW YN DAD Y GENEDL GYMREIG. FEL Y DISGRIFIODD Y BARDD TALIESIN YN EI GERDD FLYNYDDOEDD YN DDIWEDDARACH... "CALETACH (OEDD CUNEDDA) WRTH ELYN NAG ASGWRN".

GWRTHEYRN
TUA 450 - 500

ARTHUR
480 - 520

GWENLLIAN
1097 - 1136

LLYWELYN FAWR
1173 - 1240

LLYWELYN AP GRUFFUDD
1222 - 1282

OWAIN LAWGOCH
1330 - 1378

Cyfres yr Onnen

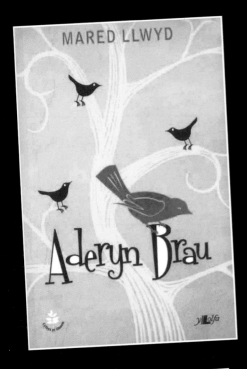

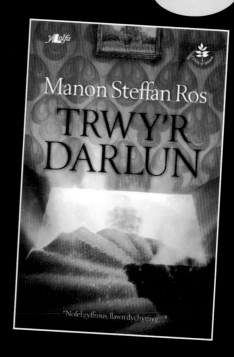

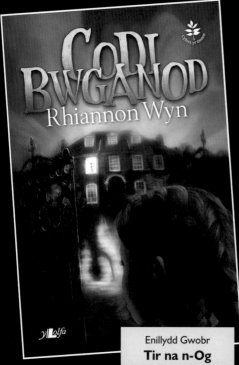

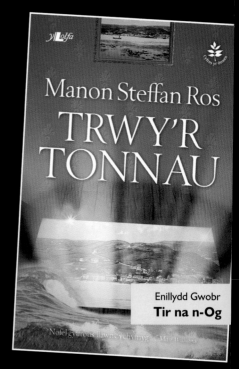

Enillydd Gwobr
Tir na n-Og

Enillydd Gwobr
Tir na n-Og

Y Cwestiwn mawr

Meinir Pierce Jones

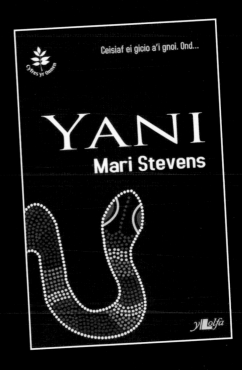

Ceisiaf ei gicio a'i gnoi. Ond...

YANI

Mari Stevens

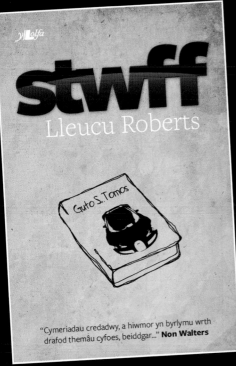

stwff

Lleucu Roberts

Guto S. Tomos

"Cymeriadau credadwy, a hiwmor yn byrlymu wrth
drafod themâu cyfoes, beiddgar..." **Non Walters**

Bwystfilod a Bwganod

Manon Steffan Ros

Mwy i ddod yn 2011

Cyfres yr Onnen

Am restr gyflawn o lyfrau'r Lolfa, mynnwch
gopi o'n catalog newydd, rhad
neu hwyliwch i mewn i'n gwefan

www.ylolfa.com

lle gallwch archebu llyfrau ar lein.

TALYBONT CEREDIGION CYMRU SY24 5HE
ebost ylolfa@ylolfa.com
gwefan www.ylolfa.com
ffôn 01970 832 304
ffacs 832 782